54
아킬레우스의 최후

주니어RHK

신화의 가치

신화는 한 민족의 기원이나 역사적 · 종교적 · 문화적 삶의 모습을 보여 주는 옛이야기입니다. 주로 신과 영웅에 관한 이야기가 많고, 오랫동안 입에서 입으로 전해 내려왔다는 특징이 있지요.

우리가 살펴볼 그리스 로마 신화는 고대 그리스와 로마에 전해 오는 신화와 전설을 한데 묶은 것입니다. 그리스 로마 신화는 고대의 삶을 엿보게 해 주는 문화유산일 뿐만 아니라, 세계 여러 나라의 문학과 미술에 큰 영향을 끼쳤습니다. 하지만 문화적 가치만큼이나 중요한 것이 또 있습니다. 오래된 옛이야기이면서도 거기에 담긴 교훈적 가치가 오늘날에도 여전히 쓸모 있고 중요하다는 사실입니다.

놀랍지 않나요? 수천 년 전의 이야기가 어떻게 과학 문명이 고도로 발달한 오늘날에도 통하는 것일까요? 그것은 바로 그리스 로마 신화에 나오는 신과 영웅의 모습이 오늘날 우리의 모습과 다르지 않기 때문입니다. 신들도 우리처럼 분노하고, 질투하고, 실수를 하지요. 그런 모습을 보면서 우리는 깔깔 웃거나 눈물을 흘리고, 교훈과 감동을 얻습니다. 우리가 그리스 로마 신화를 읽어야 하는 까닭이 바로 이것입니다.

신화의 세계로 떠날 여러분에게 한마디 덧붙이자면, 신화는 우리에게 끝없는 상상력을 요구한다는 점입니다. 신화 속에는 수많은 은유와 상징이 곳곳에 널려 있지요. 따라서 신화를 읽을 때에는 상상력을 최대한 발휘하여 신화 속에 숨겨진 의미를 찾고, 그것을 자기 나름대로 재해석하는 과정이 필요합니다. 이렇게 읽었을 때에야 비로소 여러분 앞에 놀라운 삶의 이야기가 펼쳐질 것입니다.

자, 그럼 흥미진진한 신화의 세계 속으로 함께 떠나 볼까요?

아킬레우스가 전투에 나가지 않은 동안
아킬레우스의 친한 친구 파트로클로스가
전투에 나가 목숨을 잃습니다.
아킬레우스는 분노가 치밀어 다시 싸움터로 가지요.
그런데 용감한 아킬레우스에게도
약점은 있답니다.
무서운 전쟁은 어떻게 흘러갈까요?

주요 등장인물

테티스

바다의 신 네레우스의 딸 중 하나로 바다의 여신이에요. 마음이 따뜻하고 아름다워요. 아들 아킬레우스를 무척 사랑해요.

파트로클로스

어릴 때부터 아킬레우스와 함께 자란 친구예요. 아킬레우스와 무척 가까워서, 서로 몸을 바쳐 지켜 줄 만큼 절친해요.

아킬레우스

바다의 신 테티스와 프티아의 왕 펠레우스 사이에 태어난 아들이에요. 뛰어난 장수로서 트로이 전쟁에 나가 싸워요. 정이 많고 용감해요.

헥토르

트로이의 왕자로 파리스의 형이에요. 트로이 군의 사령관이자 용기 있는 장수예요.

파리스

트로이의 왕자로서 헥토르의 동생이에요. 스파르타 왕비인 헬레네를 데리고 와서, 트로이 전쟁이 일어나요.

오디세우스

이타케 섬의 왕으로 트로이 전쟁의 영웅이에요. 용감하기도 하지만 꾀가 많고 머리가 좋아요.

1
아킬레우스의 갑옷

아킬레우스는 고민에 빠졌습니다.

하지만 진심이 담긴 친구의 부탁을 마냥 거절할 수는 없었습니다.

“알겠네. 하지만 공격은 하지 말게.

특히 헥토르와는 절대로 맞서면 안 되네. 알겠는가?”

“명심하겠네.”

아킬레우스가 전투에 나오지 않자, 그리스 군은 잇달아 패했습니다.

"아킬레우스가 없으니 우리 그리스 군이 도무지 힘을 쓰지 못하는군."

"그러게 말이오. 아킬레우스가 모습을 보이는 것만으로도 병사들이 큰 힘을 얻을 텐데."

"저렇게 제 고집만 피우니 참 큰일이오."

그러자 오디세우스가 아킬레우스를 찾아갔습니다.

"아킬레우스. 왜 여기서 이러고 있는가. 이런 모습을 보려고

자네를 전쟁터로 이끈 게 아닐세. 아가멤논 사령관은 가끔 생각이 깊지 못 할 때가 있네. 자네도 잘 알지 않는가? 한번 봐주게."

지혜로운 장군 오디세우스는 아킬레우스의 마음을 돌리려 애썼습니다. 하지만 아킬레우스는 고집을 꺾지 않았습니다.

한편 아킬레우스의 친구 파트로클로스도 혼자서 한숨을 내쉬었습니다. 어렸을 때부터 어머니는 파트로클로스를 붙잡고 당부했습니다.

“아킬레우스는 영리하고 착하기는 하지만 제 고집만 부리는 일이 많다. 너는 아킬레우스 곁에 머물면서 아킬레우스가 잘못할 때마다 바로잡는 일을 해야 한다. 그게 바로 네가 할 일이다. 알겠느냐?”

파트로클로스는 그렇게 하겠다고 약속했습니다. 하지만 지금은 그저 지켜보고만 있었습니다. 친구를 설득하지 못하는 자신이

부끄러웠습니다.

'날이 갈수록 쓰러지는 병사들이 늘어나고 있어. 어서 이 전쟁을 끝내야 해. 그런데 아킬레우스는 이대로 고향으로 돌아가려 하고 있어. 무슨 좋은 수가 없을까?'

고민하던 파트로클로스는 아킬레우스에게 갔습니다.

"아킬레우스, 부디 마음을 바꿀 수 없겠나? 그리스가 승리하느냐 지느냐는 자네한테 달렸네."

"아가멤논이 총사령관으로 있는 한 나는 싸우지 않을 것이네."

아킬레우스는 꿈쩍도 하지 않았습니다. 파트로클로스가 다시 말했습니다.

"그렇다면 자네의 갑옷을 빌려 주게."

"뭐? 내 갑옷을?"

“내가 자네 대신 나가서 싸우겠네. 트로이 병사들은 나를 자네로 생각할 거야. 저들이 꽁무니를 빼면 우리 그리스 군의 *사기도 올라가겠지.”

아킬레우스는 잠시 생각에 잠겼다가 말했습니다.

“알겠네. 하지만 공격은 하지 말게. 특히 헥토르와는 절대로 맞서면 안 되네. 알겠는가?”

“명심하겠네.”

아킬레우스의 갑옷

아킬레우스의 갑옷은 신들의 대장장이인 헤파이스토스가 만들었어요. 먼 옛날 헤파이스토스가 제우스와 헤라 사이에서 태어났을 때 너무 못생겨서 누군가 내던졌다고 해요. 이를 테티스가 거두어 구해 주었지요. 그 보답으로 헤파이스토스는 어떤 창도 뚫을 수 없는 갑옷을 만들어 펠레우스와 테티스의 결혼식에 선물했고, 테티스는 이 갑옷을 아들 아킬레우스에게 주었어요.

*사기 의욕이나 자신감 따위로 충만하여 굽힐 줄 모르는 기세.

이튿날, 파트로클로스는 아킬레우스의 갑옷을 입고 나갔습니다. 올림포스의 대장장이 신이자 못 만드는 것이 없는 헤파이스토스 신이 만든 갑옷이라 생각하니 어깨가 으쓱해졌습니다.

'아킬레우스의 갑옷을 입은 만큼, 아킬레우스의 훌륭한 실력을 보여 줘야 해.'

파트로클로스는 칼을 쥔 손에 힘을 주었습니다. 이윽고 트로이 군이 몰려왔습니다. 파트로클로스는 마치 날개를 단 것처럼 전차를 타고 달렸습니다. 어려서부터 아킬레우스와 함께 무술을 배운 파트로클로스의 실력도 만만치 않았습니다.

그러자 아킬레우스가 다시 나타났다는 소문이 퍼지면서, 그리스 군의 함성이 드높아졌습니다.

“아킬레우스가 왔다! 이제 누구도 우리를 막을 수 없다!”

“나가서 싸우자. 트로이 군에게 본때를 보여 주자!”

그리스 군이 똘똘 뭉쳐 덤벼들자, 트로이 군은 어떻게 된 일인가 살펴보았습니다. 그랬더니 맨 앞줄에서 아킬레우스가 힘차게 달려오고 있는 것이었습니다. 그는 누구보다 용감해 보였습니다.

“아킬레우스가 다시 돌아왔다! 다들 피해라!”

“웬만하면 싸우겠는데 아킬레우스에게는 안 돼. 목숨은 건져서 돌아가야지. 어서 도망가자!”

아킬레우스의 갑옷이 보이기만 하면 트로이 병사들은 싸울 힘을

잃고 요리조리 내뺐습니다.

트로이 군이 사기가 떨어져 *우왕좌왕하자, 트로이 군 총사령관 헥토르가 목이 터져라 외쳤습니다.

"물러서지 말라. 다 같이 덤벼라. 흩어지지 마!"

*우왕좌왕하다 이리저리 왔다 갔다 하며 일이나 나아가는 방향을 종잡지 못하다.

헥토르는 고함을 지르며 병사들을 지휘했지만, 트로이 군은 이미 슬슬 힘이 빠지고 있었습니다.

파트로클로스는 트로이 군이 뒤로 밀리는 것을 보자 신이 났습니다.

'이 기회를 놓칠 수 없지. 이 기세로 저들을 물리쳐야겠다.'

파트로클로스는 아킬레우스와 한 약속을 잊고, 트로이 군 깊숙이 들어갔습니다. 파트로클로스가 휘두르는 칼에 트로이 병사들이 하나둘 쓰러졌습니다. 이대로 가다가는 트로이가 질 것 같았습니다.

하지만 트로이에도 용감한 장군이 있었습니다. 그는 바로 제우스의 아들인 사르페돈이었습니다.

"나를 물리치지 않고는 앞으로 갈 수 없을걸."

사르페돈이 그리스 군에 뛰어들었습니다.

한편 올림포스에서 전투를 지켜보던 제우스는 깜짝 놀랐습니다. 그대로 두었다가는 사르페돈이 위험할 것 같았습니다.

제우스가 손을 들어 사르페돈에게 힘을 불어넣으려 하는데 헤라가 막아섰습니다.

"인간들의 전쟁에 끼어들지 마세요. 당신이 끼어들면 다른 신들도 다 같이 끼어들어 엉망이 되고 말 거예요."

제우스는 사르페돈을 도우려는 손길을 거두었습니다. 도와주고 싶은 마음은 굴뚝같지만 헤라의 말이 맞았습니다.

올림포스 신들은 저마다 나름대로 그리스든 트로이든 도와주고

싫었지만, 꾹 참고 있었습니다.

신들이 끼어들면 누구도 못 말리는 어마어마한 전쟁이 되고 말 것입니다. 그러면 수없이 많은 사람이 죽고 고통을 겪을 것입니다.

어찌되었든 전쟁터의 사르페돈은 칼을 들어 파트로클로스에게 던졌습니다. 칼은 파트로클로스의 어깨를 스치며 떨어졌습니다.

그러자 이제 파트로클로스가 사르페돈에게 칼을 던졌습니다.

"자, 받아라."

파트로클로스가 던진 칼은 피하려는 사르페돈의 등을 찔렀습니다. 사르페돈이 칼을 맞고 쓰러졌습니다.

사르페돈은 트로이 병사들에게 자기 시신을 빼앗기지 말라고 부탁하며 눈을 감았습니다. 그리스 군은 죽은 사르페돈의 몸을 빼앗아 가려고 공격을 퍼부었습니다.

올림포스에서 이를 내려다보던 제우스가 마침내 끼어들었습니다. 제우스는 아폴론에게 지시해서 죽은 사르페돈을 고향으로 옮기라고 했습니다.

2
파트로클로스의 죽음

파트로클로스는 달아나려 했지만 이미 때는 늦었습니다.

'어쩔 수 없구나. 싸울 수밖에.

사람들에게 내 실력을 보여 줄 기회인지도 몰라.'

사르페돈이 쓰러진 것을 본 트로이 군 총사령관 헥토르는 분노가 치밀었습니다. 헥토르는 번개처럼 움직여 파트로클로스 앞을 막아섰습니다. 파트로클로스는 달아나려 했지만 이미 때는 늦었습니다.

'어쩔 수 없구나. 싸울 수밖에. 사람들에게 내 실력을 보여 줄 기회인지도 몰라.'

파트로클로스는 바위를 들어 헥토르에게 던졌습니다. 바위는 헥토르가 탄 전차의 마부에게 떨어졌습니다. 헥토르는 마부를 구하려고 전차에서 뛰어내렸습니다.

마주 선 두 사람에게서 팽팽한 긴장감이 흘렀습니다. 둘 다 상대방에게서 눈을 떼지 않으면서 공격할 기회를 엿보았습니다.

아폴론은 헥토르가 나치는 것을 보고 싶지 않았습니다. 그래서 파트로클로스의 머리에서 투구가 벗겨지게 하고, 손에 든 칼이 떨어지게 했습니다.

신들이 보호한 헥토르

헥토르는 트로이의 왕 프리아모스와 헤카베의 큰아들이에요. 또한 파리스의 형이지요. 헥토르는 트로이 전쟁에서 신들의 보호를 많이 받았어요. 아폴론은 헥토르가 그리스 군의 화살에 맞지 않게 보호하고, 제우스는 아킬레우스가 전투에 참여하지 않는 한 헥토르가 승리하기를 바랐어요. 또 아테나와 아르테미스도 헥토르를 돕겠다고 했지요. 그러나 운명은 헥토르가 아닌 아킬레우스를 택했다고 해요.

"앗!"

당황한 파트로클로스는 재빨리 허리를 굽혀 투구와 칼을 집었습니다. 하지만 트로이 병사 하나가 그 순간을 놓치지 않고 파트로클로스의 등을 찔렀습니다. 이와 동시에 헥토르의 칼도 날아와 파트로클로스의 가슴을 찔렀습니다.

헥토르는 숨을 거둔 파트로클로스의 갑옷을 벗겨 자신이 입었습니다. 그 광경을 본 그리스 군은 순식간에 사기가 떨어졌습니다. 반면 트로이 군은 떠나갈 듯 함성을 질렀습니다.

"아킬레우스가 죽었다!"

“그리스 군의 영웅 아킬레우스가 죽었어, 이제 승리는 우리 것이야!”

이제 그리스 군이 뒷걸음질 치는 신세가 되었습니다.

그리스의 장군 아이아스는 아킬레우스에게 사람을 보내 이 소식을 알렸습니다. 아킬레우스는 하늘을 향해 고함을 쳤습니다.

“파트로클로스를 보내는 것이 아니었어. 다 내 잘못이야.”

아킬레우스는 괴로움에 몸부림치며 울부짖었습니다. 친구를 잃은 아픔에 아킬레우스는 가슴이 무너지는 것 같았습니다.

아킬레우스의 슬픈 울음소리는 산을 넘어 바다를 건너갔습니다. 아킬레우스의 어머니인 바다의 여신 테티스가 아킬레우스의 울음소리를 듣고 아킬레우스 앞에 나타났습니다.

"아들아, 왜 그리 슬피 우는 게냐?"

"제 잘못 때문에 파트로클로스가 죽었습니다. 헥토르를 그냥 두지 않을 것입니다. 제 손으로 원수를 갚겠습니다."

우는 아들을 보는 테티스는 마음이 아팠습니다.

아킬레우스가 전쟁터에 오래 머무는 것이 걱정되었습니다. 어떻게든 아들을 달래어 집으로 데려가고 싶었습니다.

그리스의 아이아스 장군

아이아스는 그리스 군에서 아킬레우스에 버금가는 용사로 알려졌어요. 아킬레우스와는 달리 자신의 감정을 잘 다스릴 줄 아는 인물로 나오지요. 신화에서는 일곱 장의 소가죽과 청동으로 만든 방패를 들고 다니는 것으로 그려져요. 아이아스는 아킬레우스가 없을 때 헥토르와 결투를 하도록 뽑힌 인물이었는데, 제우스는 이 두 인물이 싸우는 것을 바라지 않아 구름으로 감싸 버렸다고 해요. 아킬레우스가 죽은 뒤 아이아스는 아킬레우스의 무기를 차지하려고 같은 편인 오디세우스와 싸웠다고 해요. 이 때문에 비참한 최후를 맞이했다고도 전해져요.

"아들아. 파트로클로스가 목숨을 잃었다니 나도 무척 슬프다. 하지만 그러다 너까지 잃게 되면 어찌하느냐. 전쟁은 그만두고 집으로 돌아가자."

하지만 아킬레우스는 젖은 눈을 들어 어머니를 바라보았습니다.

"어머니, 저는 죽는 게 두렵지 않습니다. 반드시 복수를 하고 말 것입니다."

테티스는 한숨을 깊이 내쉬었습니다. 어렸을 때부터 아킬레우스의 고집은 꺾을 수 없었습니다.

지금 이 순간에도 아들의 결심을 되돌릴 수 없다는 것을 알았습니다. 하지만 갑옷도 빼앗긴 채 그냥 전쟁터로 내보낼 수는 없었습니다.

"목숨을 소중히 여겨야 한다. 조금만 기다리렴. 네게 맞는 새 갑옷을 가져올 테니."

테티스는 말을 마치고 사라졌습니다.

테티스는 대장장이의 신 헤파이스토스에게 달려갔습니다. 헤파이스토스의 대장간은 일 년 내내 무엇인가 만드는 소리로 뚝딱뚝딱 시끄러웠습니다.

"헤파이스토스! 내가 왔다."

"테티스 님! 어서 오세요. 정말 오랜만입니다."

테티스를 따르고 좋아하는 헤파이스토스가 활짝 웃으며 반겼습니다. 헤라의 아들인 헤파이스토스는 절름발이인데, 어릴 적에 테티스가 거의 맡아 키우다시피 했습니다. 그래서 헤파이스

토스는 테티스를 엄마처럼 좋아했습니다.

"헤파이스토스, 갑옷이 하나 필요해."

"갑옷이라면, 테티스 님 결혼식 때 제가 선물한 그런 갑옷을 말씀하시나요?"

테티스는 고개를 끄덕였습니다.

"그래, 맞아. 하지만 그것보다 훨씬 더 튼튼한 갑옷이어야 해. 이 세상 그 무엇도 뚫을 수 없는 그런 갑옷 말이야. 너도 알겠지만 내 아들 아킬레우스가 트로이 전쟁에 나가 있단다. 그 아이가 어릴 적에 스틱스 강에 몸을 적셔 놓긴 했지만 아무래도 불안해. 네가 만든 갑옷이 필요해."

"알겠습니다. 테티스 님 말씀이라면 꼭 들어드려야지요. 최고로 튼튼한 갑옷을 만들어 드리겠습니다."

헤파이스토스는 아무리 날카로운 것으로도 뚫을 수 없는 갑옷에다, 튼튼한 방패와 투구까지 만들었습니다.

테티스는 그것들을 가지고 아킬레우스에게 왔습니다.

"헤파이스토스가 만든 갑옷이다."

아킬레우스가 입어 보니 몸에 딱 맞았습니다.

"어머니, 고맙습니다. 이 옷을 입고 나가 싸우겠습니다. 제 명예를 회복할 방법은 그것뿐입니다."

테티스는 아들의 얼굴을 오래 바라보았습니다. 영웅이 되면 일찍 죽는다고 했는데, 지금 아킬레우스는 영웅이 되려 하고 있었습니다. 테티스는 아들을 잡고 싶었지만, 그러기에는 이미 늦었습니다.

'아들아, 부디 몸조심하거라…….'

3
돌아온 아킬레우스

아킬레우스의 얼굴을 가까이에서 본 헥토르는
깜짝 놀랐습니다.
'이자는 사람이 아니야. 전쟁의 신 아레스보다
더 무서운 얼굴을 하고 있구나!'

"죽지 않는 아킬레우스가 돌아왔다!"
아킬레우스가 나타나자 그리스 군은 다시 함성을 질렀습니다. 아킬레우스는 트로이 성문 앞으로 쏜살같이 내달렸습니다. 굳게 닫힌 성문 앞에 도착한 아킬레우스는 큰 소리로 외쳤습니다.

"트로이에는 내게 맞설 사람 하나 없단 말이냐? 어서 나와라. 정정당당하게 싸우자."

헥토르가 몸을 일으키려 하자, 트로이의 왕 프리아모스가 말렸습니다.

"참아야 한다. 혼자 맞서서는 아킬레우스를 물리칠 수 없다."

"부하들이 죽게 내버려 둘 수는 없습니다.
제 손으로 아킬레우스를 무찌르겠습니다."

헥토르는 성 밖으로 나갔습니다.
아킬레우스가 헥토르를 보고
천천히 다가왔습니다.
아킬레우스의 얼굴을
가까이에서 본 헥토
르는 깜짝 놀랐습니다.

‘이자는 사람이 아니야. 전쟁의 신 아레스보다 더 무서운 얼굴을 하고 있구나!’

트로이 군을 대표해 용감하게 나섰던 헥토르는 복수심에 불타는 아킬레우스를 보자 자기도 모르게 말 머리를 돌렸습니다.

“어딜 가느냐? 거기 서라!”

아킬레우스가 헥토르 앞을 막았습니다.

이 광경을 보고 있던 아폴론은 헥토르를 응원했습니다.

“내가 아끼는 헥토르가 허무하게 죽는 꼴을 볼 수는 없지.”

헥토르는 순간적으로 힘을 얻어 아킬레우스에게 칼을 던졌습니다. 칼은 헤파이스토스 신이 만든 방패에 맞아 튕겨 나갔습니다.

이제 헥토르는 칼을 뽑아 들고 아킬레우스를 향해 달려갔습니다. 아킬레우스는 헥토르가 휘두르는 칼을 가볍게 피했습니다.

"이제 내 자례다. 각오해라."

아킬레우스는 헥토르를 향해 내달렸습니다. 죽은 파트로클로스의 복수를 하고 싶다는 마음뿐이었습니다.

헥토르가 뒤로 밀리자, 아킬레우스는 틈을 주지 않고 헥토르를 몰아세웠습니다.

헥토르는 온 힘을 짜내어 대항했지만, 아킬레우스가 무섭게 휘두르는 칼 앞에서는 어찌할 수가 없었습니다. 트로이의 위대한 장군 헥토르는 그렇게 숨이 끊어지고 말았습니다.

헥토르의 죽음

〈헥토르를 무찌르는 아킬레우스〉 페테르 파울 루벤스

아킬레우스는 친구 파트로클로스의 죽음에 화가 난 나머지, 자신의 시체를 트로이에 돌려주라는 헥토르의 마지막 부탁을 거절해요. 그리고 헥토르의 시체를 자신의 전차에 매달아 끌고 다녔지요. 트로이 성 안에 있던 헥토르의 가족들은 이 광경을 고스란히 지켜보아야 했답니다. 아킬레우스의 이런 행동은 신들의 분노를 샀고, 이후 아킬레우스가 죽는 한 원인이 되어요.

4
아킬레우스의 최후

파리스는 활을 들어 아킬레우스에게 겨누었습니다.

피융 하고 날아간 화살은 아킬레우스의 발뒤꿈치에 맞았습니다.

아킬레우스는 그 자리에 쓰러졌습니다.

그리스 군은 트로이 군이 헥토르의 장례를 치르는 동안 전투를 잠시 멈추기로 했습니다. 아킬레우스의 부탁 때문이었습니다. 헥토르는 파트로클로스를 죽였지만 트로이의 왕자이자 영웅이었고, 그의 아버지 프리아모스 왕도 매우 훌륭했습니다. 서로를 미워하는 전쟁터였지만 예의를 갖춘 것이었습니다.

장례가 끝나자 전쟁은 다시 불타올랐습니다. 아킬레우스는 누구보다 용감하게 나가서 싸웠습니다.

아킬레우스가 있는 그리스 군은 누구도 넘보지 못할 것 같았습니다.

그리스 군은 언제 밀렸나 싶게 사기가 하늘을 찔렀습니다. 그리스 군 총사령관 아가멤논과 오디세우스 장군은 비로소 한숨 돌렸습니다.

슬퍼하는 안드로마케

〈헥토르의 죽음을 슬퍼하는 안드로마케〉 자크 루이 다비드

죽은 뒤에 침대에 눕혀진 헥토르의 모습이에요. 헥토르의 아내 안드로마케가 슬픔에 겨워 울고 있고, 그 앞에 헥토르의 아들이 엄마를 위로하며 함께 슬퍼하고 있어요.

어느 날, 아킬레우스가 맨 앞에서 병사들을 이끄는데, 아킬레우스를 뒤쫓는 눈이 있었습니다. 그 사람은 바로 트로이의 왕자요, 헥토르의 동생인 파리스였습니다. 파리스가 스파르타의 왕비 헬레네를 데리고 오는 바람에 전쟁이 시작되었지요.

파리스는 형 헥토르마저 아킬레우스에게 죽임을 당하자 분노로 활활 타올랐습니다. 그래서 아킬레우스를 쓰러뜨리겠다는 마음 하나로 아킬레우스를 뒤쫓았습니다. 파리스는 활을 들어 아킬레우스에게 겨누었습니다. 피융 하고 날아간 화살은 아킬레우스의 발뒤꿈치에 맞았습니다. 아킬레우스는 그 자리에 쓰러졌습니다.

파리스가 아킬레우스를 죽일 수 있었던 것은 아폴론이 도와준 덕분이었습니다. 줄곧 헥토르 편을 들었던 아폴론은 파리스가 아킬레우스를 죽이려 한다는 것을 알자, 파리스에게 아킬레우스의 약점을 알려 주었습니다.

"아킬레우스에게는 약점이 하나 있다. 어릴 적 아킬레우스의 어머니가 스틱스 강물에 아킬레우스를 담글 때 발뒤꿈치를 잡고 있었지. 그래서 발뒤꿈치만은 강물에 젖지 않았다."

그래서 파리스는 아킬레우스를 따라다닐 때마다 아킬레우스의 발뒤꿈치를 노렸습니다.

"아, 어머니……."

아킬레우스는 말을 다 끝내지도 못하고 고개를 떨어뜨렸습니다.

파리스는 아킬레우스가 죽은 것을 확인하고 자리를 떠났습니다.

아킬레우스를 미워한 아폴론

아폴론은 트로이 전쟁에서 아킬레우스를 미워하는 역할로 나와요. 그 이유를 설명하는 말은 여러 가지인데, 아킬레우스가 아폴론의 아들을 죽였기 때문이라고 해요. 그래서 누구보다 열심히 헥토르를 도와주었다고 하지요. 파리스에게 아킬레우스의 유일한 약점을 가르쳐 준 것도 아폴론이에요.

그리스 병사들은 모두 안타까워했습니다. 오디세우스는 죽은 아킬레우스를 얼싸안고 눈물을 흘렸습니다.

"전쟁터로 자네를 데려온 내 탓일세……."

소식을 듣고 온 테티스는 통곡했습니다.

"내가 왜 네 발뒤꿈치까지 강물에 적실 생각을 못 했을까? 내 잘못이다. 아킬레우스, 부디 이 못난 어미를 용서해 다오."

테티스는 눈물을 삼키고는 아들의 몸에서 갑옷을 벗겼습니다. 그러고는 그 갑옷을 오디세우스에게 주었습니다.

"부디 이 갑옷을 받으시오."

오디세우스는 고개를 숙인 채 갑옷을 받았습니다. 갑옷은 아킬레우스의 체온이 아직 남아 있는 듯 따뜻했습니다. 오디세우스는 갑옷을 받으며 전쟁이 어서 끝났으면 좋겠다고 생각했습니다.

신이 만든 무기 아이기스

아이기스는 대장간의 신 헤파이스토스가 만든 전쟁 도구로 주로 방패 모양으로 되어 있어요. 제우스가 가진 아이기스는 특별한 능력이 있어서 한 번 흔들면 폭풍이 일어나고 사람들을 공포에 떨게 했지요. 이것은 제우스가 키우는 염소 아말테이아의 가죽으로 만들었다고 해요. 아테나가 가진 아이기스에는 메두사의 목이 달려 있어요. 인간으로는 유일하게 아킬레우스가 아이기스를 가지고 있었으며 나중에 오디세우스에게 넘겨주지요.

아킬레우스가 죽고 난 뒤에는 오디세우스가 앞장섰습니다. 트로이도 있는 힘을 다해 그리스에 맞섰습니다.

그렇게 싸우면서 오랜 시간이 흘렀습니다. 곧 끝날 줄 알았던 전쟁은 자그마치 십 년 가까이 이어졌습니다. 양쪽 군사들 모두 지치고 엄청난 피해를 보았습니다.

오디세우스는 꾀를 냈습니다. 커다란 목마를 만들어 그 안에 병사들을 숨기는 것이었습니다. 그러고는 전쟁에서 물러나는 척하며 근처 바닷가에 숨었습니다.

트로이 군은 그리스 군이 물러갔다고 생각하고 목마를 성안에 들여놓고 푹 쉬었습니다. 하지만 밤이 깊어지자 목마 안에서 병사들이 나와 성문을 열었습니다. 숨어 있던 그리스 군은 성안으로 쳐들어왔고, 잠자던 트로이 군은 모두 쓰러질 수밖에 없었습니다.

그렇게 해서 트로이가 세웠던 문명은 잿더미가 되고 말았습니다.

신화 OLYMPUS GUARDIAN 뒷이야기

아킬레우스는 어머니가 바다의 여신인 데다 어릴 때 스틱스 강에 몸을 적셔 죽지 않는 몸이 되었습니다. 그러니 신에 가까운 인간이라고 할 수 있습니다. 하지만 성격을 관찰하면 인간들에게서 흔히 나타나는 성질이 많이 보입니다.

아킬레우스는 친구를 사랑하고, 명예를 소중히 여기며, 누구보다 용감한 인물이었습니다. 반면 약점 또한 무척 많았습니다. 감정에 쉽게 흔들리며 쉽게 분노하고 고집도 무척 셌습니다. 포로들을 잔인하게 대하고 싸움을 너무 좋아했습니다. 거기다 좋았다 싫었다 하는 감정의 변화 또한 굉장히 심한 인물이었습니다.

이런 모습 때문에 아킬레우스는 난폭한 인간의 대표적인 모습으로 평가를 받기도 합니다. 하지만 음악과 예술에 능한 아주 예술적인 인간이기도 했습니다. 그래서 그리스의 알렉산드로스 대왕은 아킬레우스를 무척 숭배했다고 합니다.

인간적인 약점이 많음에도 불구하고 여러 분야에서 뛰어난 모습을 많이 보였기 때문입니다. 또 그 약점이라는 것도 사실 인간이라면 누구나 가지고 있을 법한 부분이라는 생각도 했을 겁니다.

이런 아킬레우스의 여러 모습은 그리스인들이 생각하는 재능 있고 혈기 왕성한 인간의 대표적인 모습입니다. 감정을 잘 다스리고 끝까지 트로이를 승리로 이끌었던 현명한 오디세우스가 정치가나 학자들의 존경을 받았다면, 아킬레우스는 대중들의 사랑을 널리 받는 인물이었습니다. 오히려 주변에서 쉽게 볼 수 있는 사람이기에 더욱 애정을 가질 수 있었던 것이지요.

아킬레우스는 수많은 문학 작품과 그림의 소재가 되어 영원히 살아남았습니다.

올림포스 신들의 계보

크로노스 + 레아
하데스
지하 세계의 왕
포세이돈
바다의 신
제우스
신들의 왕
헤라
신들의 여왕,
제우스의 아내
헤스티아
난로 · 불의 여신
데메테르
대지의 여신
아테나
지혜 · 전쟁의 여신
제우스 + 메티스
아폴론
의술 · 음악의 신
제우스 + 레토
아르테미스
사냥 · 순결의 여신
아스클레피오스
의술의 신
아레스
전쟁의 신
제우스 + 헤라
헤파이스토스
대장간의 신
제우스 + 디오네
아프로디테
헤파이스토스의 아내,
미의 여신
에로스
사랑의 신
헤르메스
신들의 전령,
상업의 신
제우스 + 마이아
디오니소스
술의 신
제우스 + 세멜레
페르세포네
하데스의 아내
지하 세계의 여왕
제우스 + 데메테르

⚜ 그리스 로마 신화 주요 인물의 이름 ⚜

그리스 어	로마 어	영어
가이아	텔루스	
니케	빅토리아	나이키, 빅토리
데메테르	케레스	세레스
디오니소스	바쿠스	바커스
레아	키벨레	시벨레
아레스	마르스	마스
아르테미스	디아나	다이애나
아테나	아테네, 미네르바	
아폴론	아폴로	아폴로
아프로디테	베누스	비너스
에로스	쿠피드, 아모르	큐피드
오디세우스	울릭세스	율리시스
우라노스	카일루스	유러너스
제우스	유피테르	주피터
크로노스	사투르누스	새턴
페르세포네	프로세르피나	
포세이돈	넵투누스	넵튠
하데스	플루톤	플루토
헤라	유노	주노
헤라클레스	헤르쿨레스	허큘리스
헤르메스	메르쿠리우스	머큐리
헤스티아	베스타	
헤파이스토스	불카누스	벌컨

그리스 로마 신화 올림포스 가디언 54

아킬레우스의 최후

펴낸이 양원석
펴낸곳 ㈜알에이치코리아
등록 2004년 1월 15일 제2-3726호
주소 서울특별시 금천구 가산디지털2로 53, 20층 (한라시그마밸리)
문의전화 02)6443-8800

ISBN 978-89-255-4372-7(74800)
ISBN 978-89-255-4354-3(세트)

값 **12,800원**

원작 만화로 보는 그리스 로마 신화(가나출판사)
이광진 엮음, 홍은영 그림
명화 구입처 유로크레온(주)